나는 빛나는 아동학대 피해자입니다.

저는 이제 막 21살이 된 꽃다운 소녀입니다. 어렸을 적 행복하고 즐겁고 재미있게 놀아야 하는 시기, 저 홀로 '아빠'라는 큰 괴물과 맞서 싸운 저는 10여 년간의 아동학대를 받고 폭력으로부터 도망쳐 온 빛나는 아동학대 피해자입니다. 저는 아동학대에서 벗어나 잘 버텨준 빛나는 사람입니다.

부모는 아이들에게 우주 같은 존재라고 하죠.

아무리 때리고 나를 미워해도 아이들은 부모를 미워할 수 없습니다.

나의 존재이자, 나의 지구이고, 나의 우주니까요.

전 저의 우주를 믿었고, 이해하기 힘든 그 세계를 받아들였습니다.

하지만 그 우주를 떠나고 많은 좋은 어른들이 알려주었습니다.

그것이 '가스라이팅'이고 학대라는 것을요.

저는 아무 잘못이 없다는 사실을 알았을 때 무죄선고를 받은 기분이 들었습니다.

드디어 죄책감에 벗어날 수 있다는 생각에 기뻤죠.

평생 땅만 봐야 할 이 느낌에서 벗어날 수 있어서 좋았습니다.

'폭력'이라는 깊은 바닷속에 가라앉은 지 10여 년이 지나서야 저에게 손을 뻗어주는 사람들이 생겼지만 처음엔 그들의 손을 잡지 않았습니다.

그들 또한 저에게 무서운 사람들이니까요.

하지만 지금은 손을 잡고 헤엄쳐서 바다에서 육지로 올라가는 중입니다.

'정인이 사건'처럼 우리 주변에 가정폭력, 아동학대가 빈번하게 일어납니다.

하지만 연약하고 의지할 사람이 '부모'밖에 없는 아이들 입장에선 '폭력'을 당연한 것으로 여길 수밖에 없습니다.

이 책을 읽고, 폭력은 당연한 것 아니고, 여러분의 잘못, 당연히 없다는 것 알아주셨으면 좋겠습니다.

또한 폭력은 폭력을 낳는다는 것을 명심하셨으면 좋겠습니다.

목차

1부

1. 겨울
2. 망치
3. 도망과 만남
4. Replay
5. 빈부격차
6. 남아선호사상
7. 기준
8. 기침
9. 콧물
10. 글씨체
11. 제주도
12. 7116
13. 하이텐션
14. 라면
15. 다시 도망

2부

1. 벗어난 이후

2. 진단

3. 자해

4. 첫상담

5. 첫번째 용기

6. 멋진 아이

7. 입원

8. 다시 시작

9. 말할 용기

10. 뜯어고치기

11. 나는 빛나는 아동학대 피해자입니다.

12. 글을 쓰는데 걸리는 시간(1)

13. 글을 쓰는데 걸리는 시간(2)

14. 혼자서 싸우기

15. Change

16. 사람을 곁에 두는 법

1부

제1장 겨울

눈이 펑펑 내린 겨울이었다. 바람은 매섭게 불어댔다.

엄마는 일하러 가시고 집에 남은 건 차갑게 식어버린 음식, 무서운 아빠, 엄마를 그리워하는 아이가 있었다.

거실에는 tv에서 바둑 놓는 소리가 들렸고 나는 엄마가 보고 싶다며 입을 틀어막고 숨죽이며 울고 있었다.

시계는 계속 째깍째깍 걸렸지만 내가 원하는 만큼 시간은 빨리 지나가지 않았다.

나는 여전히 시계를 보며, 또 아빠의 눈치를 보며 울었다.

'벌컥'하고 무서운 그림자가 서서히 드러났다. 그건 다름 아닌 아빠였다.

울고 있는 나를 보며 양손으로 양쪽 뺨을 열몇 대씩이나 때리고 다시 거실로 간다. 배가 고팠던 나는 아빠의 눈치를 보며 슬그머니 거실에 나왔다.

그것이 그의 심기를 건든 건지 모르겠다만 밖으로 내쫓겨났다. 겉옷도 걸치지 않은 채로 말이다.

사람들은 나를 힐끔힐끔 쳐다보지만 결국엔 그냥 가버린다.

머리는 딱딱하게 굳었고 손발은 새빨갛게 익어갔다. 울면서 쪼그리고 앉는 동안 나에게 도움을 준 사람은 없었고, 자기 갈 길 가느라 다들 바빴다.

그러던 중 익숙한 향기가 내게 왔다.

엄마였다.

엄마는 또 울상 짓는 표정을 하며 나를 자신의 품속에 집어넣었다.

참 따뜻했다.

아빠가 일 나가시고 엄마는 나를 재빨리 집에 데리고 와 욕실에서 따뜻한 물을 받으며 드라이기로 머리를 말려줬다.

눈사람 만들며 즐겁게 노는 아이들, 그 사이 눈 맞으며 눈물 흘리는 아이가 나였다.

1. 죽을까 봐 두려웠어. 그 어린 나이에

2. 나도 눈사람 만들며 재미있게 놀고 싶었어.

3. 겨울은 나에게 가장 슬픈 계절이기도 해.

4. 아빠는 늘 나를 추운 겨울 밖으로 내쫓았어.

5. 사실 이건 아빠의 계략이었어. 엄마가 일 나가게 하지 않는 계략

제2장 망치

아마 이 기점으로 우리가 베트남으로 도망친 걸지도 모른다.

상황은 다 기억나지 않지만 정말 무서운 순간이었다.

아빠는 망치를 들고 엄마의 폰을 산산조각 냈다.

휴대폰은 엄마가 유일하게 가족과 만날 수 있는 수단이었는데 이젠 가족을 못 보는 거나 마찬가지였다.

그리고 그 망치를 들고 엄마를 향할 때

엄마는 재빨리 방에 숨었다.

아빠는 나오라고 무섭게 소리도 치고, 망치로 문을 부술 여는 시도까지 했다.

나가면 죽음이다.

난 아직도 그 상황에서 아무것도 못한 나를 원망한다. 가끔 너무 죽고 싶을 때

'그때 내가 아빠를 말렸다면 아빠는 망치로 나를 때리고, 난 이미 죽었겠지.' 하고 말이다. 무서운데도 죽여주길 바라다니 참 웃기다.

1. 휴대폰도 산산조각, 모든 게 다 산산조각이 났어.

2. 방 옷장 안에 숨죽여 괴물과 술래잡기 놀이를 하는 것 같았어.

3. 그때 엄마가 방에 들어가지 못하고 망치에 그대로 맞았다면 난 어떻게 됐을까?

4. 지금의 난 아직도 꿈속에서 그 괴물이 망치를 들고 나를 쫓아오는 꿈을 꿔.

제3장 도망과 만남

어렸을 때 일이라 아빠한테 왜 늘 폭력에 시달리는지 기억은 잘 나지 않는다. 이것만으로도 다행으로 여겨야 하나.

하지만 확실히 기억나는 건 아빠의 폭력이었다.

그 폭력에 지친 엄마는 나를 데리고 베트남으로 도망갔다.

엄마와 베트남에서 즐겁게 놀 생각에 신이 났었다.

엄마가 떠날 줄 모르고 말이다. 베트남에 도착해서 이모, 삼촌, 오빠들과 재미있게 놀았다.

엄마가 떠나는 그날 밤, 나는 목이 터져라 울었다.

동네 사람들은 처음엔 내게 시끄러우니 울음 그치라고 나무라지만 내가 토 하고 거의 실신할 정도로 울자 시끄럽다고 말하던 동네 사람들도 이젠 내가 안쓰럽다며 빨리 엄마에게 전화하라고 하지만 엄마는 끝끝내 전화를 받지 않았다.

엄마 또한 그곳에서 울고 있었겠지.

시간은 흐르고 난 여기에 적응하며, 학교를 다니면서 장학금도 받고 '공부 잘하는 한국아이'라고 불러졌다.

엄마는 몇 달에 한 번 날 보러 오고, 헤어질 땐 눈물을 머금으며 헤어지곤 했다.

그리고 8살이 되어서 다시 한국으로 왔다.

한국에서 태어났는데도 불구하고 한국은 내겐 낯선 땅이었다.

엄마가 또 나를 떠날까 매일 불안을 안고 살았다.

나는 소변이 자주 마려웠었고, 이를 이상하게 본 엄마는 나를 데리고 병원에 갔다.

'분리불안장애' 그것이 내 병명이었다.

그 이후 일주일에 한두 번 주사 맞으며 한국어도 배우고, 친구들이랑 재미있게 놀면서 외할머니랑 엄마와 행복하게 살았다.

늘 행복할 것만 같았는데 그 행복은 금세 깨져버렸다.

갑자기 어떻게 된 일인지 아빠가 찾아왔다.

나는 뭘 어떻게 해야 할지 몰랐다. 그 이후 몇 번이나 날 찾아왔다.

더 이상 '무서운 아빠'가 아닌 '다정한 아빠'의 모습으로 내게 왔다.

정말 다정했었다. 하지만 다정한 이 모습은

마지막이었다.

'다정함'으로 치장한 우리 아빠를 보고 외할머니는 엄마와 아빠가 다시 같이 살기를 원하셨다.

하지만 그러지 말았어야 했다.

아니 애초에 아빠를 무시했어야 했다. 그 폭력이라는 지옥문이 다시 열릴 줄 누가 알았을까?

그래서 다 큰 나는 가끔 외할머니를 원망스럽기도한다.

제4장 replay

외할머니 없이 셋이서 행복하게 살긴 했다.

처음엔 그랬다. 효자손이 등장하기 전까지는.

사실 어떤 이유로 맞았는지 기억은 안 난다.

하지만 내가 뭔가를 잘못했기에 맞았을 거라고 당시에는 그런 생각이 들었다.

아빠는 효자손을 들고 내 엉덩이가 익어갈 때까지 때렸다.

엉덩이가 화끈거리고, 내가 알던 자상한 아빠는 어딘가로 사라졌다.

아빠는 이런저런 이야기로 설교하시지만 내 귀엔 전혀 들리지 않았고, 죄송하다고, 다신 그러지 않겠다고는 말만 했을 뿐이다.

그 이후로 아빠의 폭력은 지속되었고 수위는 높아져만 갔다.

내 몸과 마음도 살결이 뜯긴 마냥 너덜너덜해져갔다

아빠한테 혼나면 늘 엄마한테도 혼났다.

한번 구겨진 종이, 더 구겨진 셈이었다.

그 이후 내 말수도 적어졌고, 난 폭력이라는 바다에 서서히 가라앉았다.

예전에 편하게 앉았던 소파는 이젠 호랑이 굴처럼 변해갔다.

나는 늘 그 호랑이 굴에서 먹잇감을 찾듯이 해야 할 말을 찾으며 겨우겨우 대화를 이어갔다.

그러던 어느 날, 나도 모르게 그의 심기를 건든 것인지 아빠는 담배꽁초가 있는 담배 잔을 나를 향해 던졌다.

쨍그랑 소리가 들렸고, 내 팔에는 피가 뚝뚝 흘러갔다.

유리조각들이 내 팔에 박힌 것이다.

나는 그 와중에 눈물을 꾹 참고 있어야 했다.

내 팔에는 피가 뚝뚝 흘러갔다. 눈물을 흘릴 수 없기에 피가 대신 흘러줬나 보다.

1. 유리조각을 뺄 때 사랑을 뺀 기분이었어.

2. 아빠가 나를 사랑하긴 할까?

3. 그리고 난 또 엄마한테 혼났지.

4. 엄마한테 혼나면 심장에 유리 박힌 기분이랄까

5. 엄마한테서 박힌 조각을 빼는 게 제일 아팠어.

6. 엄마도 날 사랑해서 찌른 거였죠?

7. 근데 피만 계속 흘러나와요.

제5장 빈부격차

우리 집에는 빈부격차가 일어난다.

아빠는 건축가, 엄마는 주부, 아빠는 돈 많은 사장, 엄마는 돈 없는 가여운 소녀였다. 내가 세상 밖으로 나온 지 몇 개월 됐을 때, 엄마는 날 보고 싶어 하셨다.

하지만 앞서 말했듯이 엄마는 가난했다.

나를 보러 가기 위해서는 아빠의 돈이 필요했지만 아빠는 돈 한 푼도 주지 않았다. 엄마는 어쩔 수 없이 늘 친구들의 돈을 빌려야 했고, 그렇게 빚은 쌓여만 갔다.

나는 잔병이 많았다. 그렇기에 병원을 자주 갈 수밖에 없었다.

병원 가는 길, 엄마는 돈이 필요하다고 아빠에게 말했다.

그러자 아빠는 창문을 열고 돈다발을 우리를 향해서 던졌다.

우리는 거지처럼 돈을 주웠고, 나는 눈물을 흘리며 돈을 줍는 엄마를 보았다.

정말 조용히 우셨다.

창문에서 거지처럼 돈을 줍는 우리를 보는 아빠는 어떤 심정이었을까?

먹고 싶은 것 못 먹고, 입고 싶은 옷, 마음대로 못 샀다.

돈이 없었으니까.

한 지붕 아래에도 빈부격차가 생 생긴다.

1. 지금도 가난해요.

2. 가난은 모든 걸 망쳐.

3. 특히 자존감을 갉아먹지.

4. 아빠가 왕이고 우리는 신하였어.

5. 그래서 늘 고개를 숙일 수밖에 없어.

6. 지금도 고개를 숙이고 다녀.

7. 가난 때문에 공부도 못해.

8. 다 큰 나는 지금 아직도 돈 쓰는 방법을 잘 모르겠어.

9. 누가 불쌍하다고 돈 주면 난 거지처럼 크게 감사해.

10. 그래, 가난은 자존심도 갉아먹지.

제6장 남아선호사상

나에게는 이복 언니 3명이 있다.

딸이 3명이나 있기에 아빠는 엄마가 남자아이를 낳길 바라고 있었다.

엄마 또한 자신이 딸을 낳으면 고생할 것을 알기에 아들을 낳길 원하셨지만 결국 여자인 내가 태어났다.

모든 사람들은 가치가 있다고 한다.

하지만 난 태어난 순간부터 '가치가 없는 아이'로 찍혔다.

아니 어쩌면 엄마 뱃속에 있었을 때부터 이미 가치 없는 아이로 낙인이 찍힌 걸지도 모른다. 그렇지 않고서야 엄마가 먹고 싶은 음식 못 먹고, 안 사주고, 날 보러 가게 해달라고 말해도 돈을 주지 않았으니까.

2.23kg로 태어난 나는 한 달 동안 인큐베이터에 있어야 했다.

엄마는 돈이 없으니 늘 먼 길을 걸어서 나를 볼 수밖에 없었다.

그렇게 매 번을 고생하셨다.

만약 내가 남자였다면 어땠을까? 그럼 아빠가 요구하는 '토끼 같은 아이', '활발한 아이' 가 아니어도 나를 폭력 속에 가둬뒀을까?

딸인 언니들도 아빠에게 잘 보이기 위해 지금도 어떻게든 노력 중이다.

만약 언니들이 남자였다면 이런 노력들을 하였을까? 굳이 돈 받기 위해 아부 떨고 그랬을까?

1. 다행히 엄마는 딸을 좋아하셨어. 다만

딸을 낳으면 고생할 걸 아니까 아들을 원하신 거.

2. 그래도 그 말에 가슴이 메어와.

3. 가끔은 존재 자체가 불효녀 같기도 해.

4. 근데 언니들도 딸인데 왜 언니들만 이뻐해요?

5. 아 결국 난 백조 속에 있는 오리였군요.

6. 그래도 남아, 여아 선호 사상이 사라지길 바라요.

제7장 기준

솔직히 지금 와서 생각해 봐도 난 아빠의 기준을 모르겠다. 나는 늘 아빠의 눈치를 봐야 했다. 아빠 눈에 거슬리는 순간 맞게 되는 거니까. 나는 늘 이렇게 맞았다.

1. 들고 던진다.

2. 발로 배를 찬다.

3. 물건 던진다.

늘 이런 패턴이었다.

밤이 되면 엄마는 아빠의 발을 주물러 준다.

아빠는 리모컨을 꼭 쥔 채 잠에 빠진다.

그러면 엄마는 내게 아빠의 리모컨을 빼달라고 한다.

이때가 가장 공포스러운 순간이다.

호랑이의 코털을 건든 기분이랄까? 그의 곁으로 가서 조심조심 리모컨을 꺼냈지만 칼 꽂으면 날아가는 해적 게임처럼 아빠의 심기를 건드려버린 것이다.

아빠는 내게 모진 욕을 하며 견과류가 들어있던 병을 던지고 나는 또 무릎을 꿇으며 잘못했다고, 용서해달라고 빌고 또 빈다.

그러고선 방에 들어가 아픈 머리를 부여잡으며 숨죽여 울었고, 리모컨을 꺼내라는 엄마를 원망하기도 했다.

1. 나는 밤이면 늘 해적 게임을 해.

2. 그 괴물이 튕겨나지 않게 조심해야 해.

3. 튕겨나는 순간 내가 꽂았던 칼은 다시 나에게로 꽂혀.

제8장 기침

우리 집의 기침 예절은 '항상 화장실에서 기침하기'였다.

그래서 기침은 항상 화장실에서 해야 했다.

하지만 밥 먹다 사례 걸린 나머지 밥상머리에서 기침하고 말았다.

아빠는 숟가락을 내리치며 날 숟가락처럼 내리쳤다.

그러고선 나를 던지고, 발로 배를 찼다.

그러더니 먹었던 음식들이 입 밖으로 분출했다.

그 장면은 눈으로 보면 아마 끔찍할 것이다. 내가 걸레짝이 되는 줄 알았다.

보다 못한 엄마는 아빠를 향해 "야!"라고 크게 소리쳤다.

그 말에 폭발한 아빠는 의자를 들어 엄마를 향해 던졌다.

다행히 의자가 엄마 목 쪽으로 스쳐 지나가서 크게 다치지 않았다.

이게 정말 다행인 걸까?

나는 얼른 정신을 차리고 아빠에게 계속해서 빌었다.

아빠는 밥맛이 떨어졌다며 거실로 가고, 엄마는 눈물을 흘리며 밥상을 치우고, 나는 아픈 배를 부여잡으며 오늘도 이 모든 것을 참아낸다.

1. 아마 이때부터 였을 거야. 무슨 일이든 참을 줄 알아야 한다는 강박이 생긴 게.
2. 지금 생각해 보면 그 어린아이에 모든 것을 참아내는 내가 참 가여워.

제9장 콧물

그렇게 한바탕을 난리 치고 아빠는 나를 부르며 또 이런저런 훈계를 하기 시작했다. 하지만 내 귀엔 전혀 들리지 않았다. 죽도록 배가 아팠으니까.

눈물과 콧물은 하염없이 흘러내리기만 했다.

콧물이 나오니 코를 훌쩍거렸다.

이것이 그의 심기를 건든 것이었을까?

아빠는 무슨 짓이냐며 엄마와 나를 밖으로 쫓아냈다.

엄마는 아빠에게 용서를 빌라며 나를 원망해 하는 말투로 하셨다.

엄마의 재촉에 나는 하는 수없이 집에 들어와서 잘못했다고 빌었다.

하지만 아빠는 나를 받아주지 않았다.

왜 집에 들어왔냐며 나를 때리려 하는 걸 막다가

"너 옷 다 벗어!"

아빠는 나에게 옷을 벗으라고 명령했다.

나는 제발 부탁이라며 빌고 또 빌었다. 결국엔 팬티 바람 차림으로 밖으로 쫓겨났다.

'누가 이런 차림의 나를 보면 어쩌지?'

이 생각만이 가득했다.

나는 두려운 마음으로 엘리베이터 숫자가 4층에서 계속 멈춰있길 바랐다.

엘리베이터 숫자가 바뀔 때마다 내 가슴이 요동쳤다.

하는 수없이 아빠가 일 나갈 때까지 이 차림으로 있을 수밖에 없겠다고 생각한 찰나, 아빠가 갑자기 들어오라고 하셨다.

아빠는 자신이 출근하면 내가 들어올 거라는 걸 아는지 일하러 가기 전에 집으로 들어오라고 하였고 또 훈계를 하지만 난 아무것도 들리지 않았다.

'수치심'이 내 귀를 막았기 때문이다.

뜨거운 여름이었지만 나에겐 차디찬 겨울 같은 여름이었다.

1. 인생에서 가장 수치스러운 순간이었다.

2. 4층이 죽을 死처럼 느껴졌어.

제10장 글씨체

선생님이나 친구들이 내 글씨체 보고 예쁘다고 칭찬하기 일쑤였다.

하지만 이 글씨체는 아빠에겐 예쁜 글씨체가 아니었다.

지금 다 큰 나는 그때를 생각하면 9살짜리 어린아이가 이 정도의 글씨체를 쓴 건 잘 쓴 거라고 생각한다.

하지만 아빠한테는 아니었나 보다.

아빠가 우연히 거실 책상에 있는 내

일기장을 보셨다.

그리고 자다 일어난 나를 보며 글씨체가 이게 뭐냐며 나를 혼내셨다.

"너 스스로 그렇게 쓴 거야, 아니면 친구 따라 쓴 거야?"

아빠의 물음에 나는 어떻게 대답해야 할지 난감했다.

사실 전자지만 덜 맞기 위해서 후자를 선택했다.

"친구 따라서요..."

"거짓말 치지 마!"

아빠는 내 말을 역시나 믿지 않았다.

아빠는 내 머리채를 잡고선 주먹을 내 얼굴을 향해 어려 차례 때렸다.

쌍코피가 터졌다.

그것도 아주 많이.

당연히 엄마한테도 혼났다.

엄마의 눈에도 나의 글씨체가 어떻게 보였길래 글씨 연습하라며 혼내시는 걸까?

단순두려움이었을까?

다른 사람들만 아는 나의 글씨체.

하지만 그 둘의 눈에는 이상하게 보이는 글씨체이다.

1. 이제는 내 글씨체가 예쁘다는 걸 스스로 인지하고 있어.

2. 글씨체는 각자만의 개성이야.

3. 글씨체가 안 예쁘다고 혼날 일이 아니야. 그럴 수도 있는 거야.

4. 지금은 더 예쁘게 잘 써.

5. 하지만 아빠는 이걸 인정할 일이 없지.

6. 하지만 이거 하나는 이제 알아. 내 잘못이 아니라는 것을

7. 엄마 또한 알고 계셨을 거야. 하지만 두려운 나머지 그냥 나를 혼내신 것뿐.

8. 남들은 내 편이여서 다행이야.

제11장 제주도

복지관에서 지원해 준 덕분에 우리 가족은 제주도를 가게 되었다.

다른 아이들은 기대를 안고 희망을 품은 채

제주도에 빨리 도착하길 빈다.

나 역시 기대를 안고 희망을 품고 있었다.

같은 문장이지만 다른 의미가 담겨있다.

나는 그곳에서 맞지 않기를 바랄 뿐이었다.

'그래도 사람이 이렇게 많은데 설마 때리겠어?'

이 생각이 머릿속을 지배했다.

다행히 첫날은 제주도 시장도 가고, 흑돼지도 먹으며 그렇게 가뿐히 넘어갔다.

하지만 둘째 날, 가족 신문 만들기에서 문제가 터졌다.

늘 아빠의 눈치를 보던 나는 신문 만들기에서 우물쭈물 댔다.

보다 못한 아빠는 뭐 하는 짓이냐며 나를 들고, 던지고, 머리채를 잡고 문을 향해 질질 끌었다.

"다른 사람 거 보고 와"

나는 그 말을 듣고 얼른 방에 나와 제주도에서 친해진 언니네 방으로 들어왔다.

신문이 참 귀엽고 아기자기했다.

그들의 아름다운 웃음소리, 어떤 음악보다

더 듣기 좋았다.

그들은 정말 화목해 보였다.

'내가 없는 사이에 엄마가 맞고 있으면 어떡하지?'

이 생각에 잠깐만 보고 나왔다.

어쩌면 엄마가 맞을까 봐 두려워서가 아닌 화목한 그 가정이 부러워서 나온 게 아니었을까?

나는 도움을 청할까 고민도 해보았지만 결국엔 내 방으로 향했다.

1. 너무 부러워서 눈물이 날 뻔했어.

2. 눈물을 흘리지 않기 위해 입술을 꽉 깨물었지.

3. 결국 신문은 완성시키지 못했어.

4. 가족 신문 발표할 때 우리 집 가족 신문이 텅 빈 것처럼 내 마음도 텅 비어졌어.

5. 우리 가족은 왜 저러지 못할까?

6. 화목했으면 좋겠어.

제12장 7116

'7116' 아빠의 차량번호,

학교 끝나면 늘 그 차를 보고 번호를 본다.

그 번호가 있는 날에는 다시 학교로 가고 다시 집 가고, 이렇게 두 번을 반복하면 1시간 반쯤 된다.

그러면 그 차가 없다. 즉 아빠가 일하러 간 것이다.

하지만 그런 날만 있는 것은 아니었다.

그럴 때면 심호흡 한 번하고 엘리베이터에 들어선 다음 5분 동안 그곳에서 주저 않는다.

그리고 용기를 내 4층을 누른다.

'4' 죽을 '死', 죽음의 문에 가고 있는 중이다.

엘리베이터가 천천히 올라가기를 빌고 또 빈다.

하지만 내 기도와 다르게 야속하게도 일찍 도착해버린다.

나는 또 그곳에서 5분 동안 망설이다 심호흡하고 들어간다.

죽음의 문으로.

"다녀왔습니다~"

최대한 밝게 인사를 했다.

아빠는 여전히 바둑 프로그램을 보았다.

나는 가방을 방에 두고 거실로 나와 아빠 곁에 앉았다.

앉으며 오늘은 안 맞기를 기도한다.

1. 오늘도 내 발로 호랑이의 굴로 들어갔다.

2. 난 잡아먹히지 않길 기도했지만 호랑이는 조금씩 제 이빨을 보여주지.

3. 그리고 마침내 먹잇감을 발견하고 또 나를 잡아먹었지.

4. 결국 내 기도는 통하지 않았어.

제13장 하이텐션

아빠가 때리는 빈도수가 적어지니 기분이 점점 좋아지기 시작했다.

식사시간이 되면 거실이나 방에 있는 아빠를 불러

"식사하세요~"

하고 말한다. 그날은 유독 기분 좋은 날이었다.

맞지 않았기 때문이다.

그래서 기분 좋은 발걸음으로 걸어갔다.

그러더니 왜 이리 산만하냐며 아빠는 내게 소리를 질렀다.

아, 또 그의 심기를 건드렸다.

아빠는 나를 거실까지 축구공처럼 배를 뻥 찼다.

배가 너무 아팠다.

장기들이 쏠리는 기분이었다.

거기서 난 또 배웠다.

1. 텐션 올리지 않기

제14장 라면

아침 학교 등교하기 전, 친구가 우리 집에 놀러 왔다.

"야 집에 먹을 거 있냐?"

"라면이 있기는 한데..."

라면을 끓여본 적이 없어서 망설였지만, 친구는 라면을 끓일 줄 알았고, 우리는 라면을 먹기로 했다.

수프를 먼저 넣냐, 면을 먼저 넣냐에 티키타카 싸우면서 맛있게 라면을 먹었다.

하지만 등교 시간이 얼마 남지 않아 우리는 대충 치우고 학교 끝나고 집에 와서 치우면 되겠다는 생각을 했지만 그건 어리석은 생각이었다.

집에 와보니 아빠와 엄마가 계셨다.

"너 이거 뭐야!"

아빠의 큰소리와 고추장 통에 꽂혀져 있는 칼을 보고 나는 얼른 무릎을 꿇었다.

"아빠 정말 죄송해요. 잘못했었어요. 다신 안 그럴게요."

이번에는 정말 죽을 수도 있을 것 같다는 생각에 죽기 살기로 빌었다.

손에 불이 날 정도로 빌었다.

"이 개만도 못한 쌍년아! 네가 그러고도 사람이야?"

라면 하나 안 치웠다고 계급이 사람에서

개로 넘어갔다.

"정말 죄송해요. 두 번 다시 안 그럴게요. 정말 잘못했어요."

나는 이제 거의 실신할 정도로 울면서 빌었다.

고추장 통에 꽂혀져 있는 저 칼이 내 심장에 꽂히질 않길 간절히 기도했다.

"야 이 개새끼야. 먹었으면 치워야 할 거 아니야!!"

아빠는 큰 발로 내 머리를 축구공 차듯이 뻥 세게 찼다.

머리가 띵하고 아무 생각이 들지 않았다.

그냥 죄송하다는 말하는 것 말고는 할 수 있는 것이 없었다.

그리고 내 머리채를 잡고 얼굴을 몇 차례나 때렸다.

코에서는 피가 계속 흘러내렸다. 비가 오는 것처럼.

"아빠 정말 죄송해요. 앞으로는 절대로 안 그럴게요."

"방에 들어가!"

아빠는 나를 때리고 겨우 진정이 됐는지 방으로 들어가라고 하셨다.

나는 계속 흐르는 코피를 지혈하며 눈물을 꾹 참는 것 말고 할 수 있는 게 없었다. 너무 아팠다. 몸보다는 마음이 너무 아팠다.

아빠가 목욕하러 간 사이 엄마는 내 방에 들어왔다.

"너 왜 먹고 안 치웠어..."

"친구랑 같이 먹었는데 등교 시간이 얼마 남지 않아서...늦을까 봐...학교 끝나고 치울려고 했지?"

"너 얼마나 위험했는지 알아? 아빠가 칼로 너 죽이려고 한 거 겨우 말렸어."

엄마는 갑자기 그 상황이 떠올랐는지 아빠가 들을까 봐 숨죽여 울고 지금 모든 게 엉망인 나 또한 울고 싶었지만 그 마음 꾹 참고 엄마를 달랬다.

"미안해 엄마, 앞으로는 잘 치울게..."

나는 라면으로 또 하나의 큰 죄를 만들었다.

1. 정말 죽을까 봐 무서웠어.

2. 직접적으로 칼에 찔리진 않았지만 간접적으로 내 심장에 칼이 박힌 기분이었어.

3. 차라리 찔리고 죽으면 아빠의 폭력에서 영원히 벗어날 수 있지 않았을까?

4. 나 자신을 원망하기에는 너무 아파서 친구를 원망했어.

제15장 다시 도망

아빠와 다시 재결합해서 같이 산 지 어느덧 4년, 그 시간 동안 나는 거의 죽어있었다. 너무 망가졌다고 해야 할까나.

또 추운 겨울이 찾아왔다.

내겐 참 슬픈 계절, 뭐 사실 나에게 좋은 계절은 없다.

아니 삶에서 좋은 일은 하나도 없었다.

늘 맞고 그랬으니까. 봄, 여름, 가을, 겨울 계절이 바뀌면서 나는 계속해서 아빠에게 맞고, 쌍욕도 듣고 혼자 모든 것을 참아냈고 바뀐 게 없었다.

지칠 때로 지쳤다.

엄마 또한 그랬다.

엄마 또한 아빠한테 맞고, 나를 보호하느라 엄마의 정신도 지칠 때로 지쳤다.

우리는 겨울에 베트남 여행 가기로 했다. 엄마와 나 단둘이

처음에는 당연히 허락해 주지 않았다.

"왜, 또 도망가려고?"

엄마와 나는 아니라며 부인했고, 아빠는 고민 끝에 일주일 안에 돌아오라고 이야기했다.

일주일 뒤, 그러면 다시 아빠 폭력의 굴레로 들어오게 되는 날.

정말 끔찍했다.

나는 베트남에 가기 전 자살 계획을 세웠다.

어린 나이에 아는 정보가 없었고 겁도 많았기에 아프지 않게 죽는 방법을 인터넷에 수차례나 검색했다.

'연탄으로 죽기'

이게 가장 아프지 않게 죽는 방법이라고 하여 한국에 돌아오고 나는 연탄을 사겠다는 다짐을 했다.

하지만 그 다짐은 오래가지 않았다.

내가 방에 있는 사이 아빠는 엄마를 또 때렸다.

엄마는 방에서 서럽게 울고 있었다.

나는 그런 엄마한테 다가갔다.

"세은아, 엄마 이혼할까?"

이혼... 아빠와 멀어지는 방법. 근데 왜 나는 그 말이 무서웠던 걸까?

"아니...나 무서워. 이혼 안 하면 안 돼?"

"엄마 너무 힘들어."

엄마는 더 서럽게 울어댔다.

"우리 조금만 더 생각해 보자 응?"

보복이 무서워서 그런 건지, 아니면 아빠가 없으면 나랑 엄마는 절대로 못 산다는 말에 세뇌를 당한 건지 이혼이 무섭고 하기 싫었다.

아 어쩌면 세뇌를 당해서였을 수도 있다.

베트남 가는 당일 고속버스를 타고 아빠와 인사를 했다.

지금 생각해 보면 어린아이의 감은 좋은 것 같았다.

아빠는 우리에게 일주일이라는 신간을 주었지만 나는 직감했다.

베트남에 갔다가 다른 곳으로 도망갈 것이라는 것을.

"안녕히 계세요"

아빠, 폭력 영원히 안녕히 계세요.

1. 베트남에서 3주 동안 재미있게 지냈어.

2. 하지만 이모, 삼촌들은 어두워진 내 모습에 다들 놀라셨지.

3. 그럴 만도 해. 난 너무 지쳤고, 구겨질 때로 구겨졌으니까.

4. 넷째 삼촌은 내가 학대에 너무 힘들어하는 걸 알아서 내가 힘들 때면 항상 내 옆에 있어줬어.

5. 고마워요. 이모, 삼촌들. 아빠에게서 못 받은 사랑, 당신들 덕분에 조금은 채워졌고, 조금씩 내 모습을 갖추기 시작했으니.

2부

1. 벗어난 이후

2. 진단

3. 자해

4. 첫상담

5. 첫번째 용기

6. 멋진 아이

7.   입원

8.   다시 시작

9.   말할 용기

10.   뜯어고치기

11.   나는   빛나는   아동학대   피해자
      입니다.

제1장 벗어난 이후

아빠에게 벗어난 이후 엄마는 외할아버지를 한국으로 모시고, 우리 셋이서 작은 원룸에 모여 살았다.

엄마와   나의   속사정을   그동안   몰랐던 외할아버지는 속사정을 알게 된 이후 가끔 몰래 눈물을 훔치곤 했다.

그리고 밤에 내가 잘때면 까칠하고 주름진 손으로 내 머리를 쓰다듬어주셨다.

학교에서   제   또래   아이들과   제대로 생활하지 못했다.

늘 어둡고, 웃음끼 없는 아이로 살았다.

어느날   학교에서   심리검사지가   날아왔고, 그것을 검사해본 결과 고위험군 수준으로 나왔다.

나는 아동심리상담소에서 여러가지 복잡한 검사를 받고 일주일에 한번씩 상담을 받았다.

하지만 그 상담도 나에겐 소용이 없었다.

결국 마지막 상담일 까지 다가왔지만 마무리도 제대로 짓지 못한 채 그렇게 어설픈 상담이 끝났다.

1. 나는 어두웠어.

2. 웃음 짓는 방법 조차 몰랐어.

3. 선생님은 늘 내게 웃으라고 강요했지만 웃을 수 없었어. 웃는 방법을 몰랐거든.

4. 난 남자애들의 손을 스치는 것 조차 싫어했어. 불쾌했거든.

5. 그렇게 내 아동기 시절도 어둡게 보냈어. 바뀐게 없이.

제 2장 진단

아빠에게 벗어나면서 나는 트라우마를 얻었다.

정신과를 처음 간 날 나에게 주어진 병명은 우울증, 불안장애, 수면장애, 공황장애, ptsd였다.

주치의 말로는 나의 우울증은 꽤 심했고, 오래된 것 같다고 말씀하셨다.

어쩌면 그 말이 맞을지도 모른다.

난 아빠와 같이 산 시간 동안 많이 구겨져 있었으니.

허리 한번 제대로 핀 적이 없었으니. 웃는 방법조차 몰랐었다.

불안장애, 없을 거라 생각했는데 심각한 수준이었다.

무엇보다 수면장애, ptsd는 내 삶을 아주 망가뜨렸다.

밤마다 만나고 싶지 않은 그 괴물을 만나고, 아빠가 늘 일하고 계시는 건설 현장, 비슷한 차나 트럭, 남성의 큰 목소리가 들리면 바로 공황이 오고 내 심장은 다이너마이트처럼 폭발해버린다.

나는 그 괴물과 더 이상 마주하고 싶지 않았다.

"치료하는 데 몇 년이 걸려요?"

"완치라는 개념은 없어요."

야속하게도 주치의는 나에게 암 선고를 하듯이 말했다. 아 영원히 싸워야 하는구나.

1. 난 오늘 밤에도 그 괴물과 싸워요.

2. 하지만 항상 이기지 못하죠.

3. 난 클 만큼 컸는데 그 괴물 앞에서는 여전히 작은 아기 인가 봐요.

4. 난 영원히 이 고통 속에서 살아야 하는 건가요?

제3장 자해

난 아빠한테 맞으면 내 스스로를 학대하곤 했다.

그렇게 아픈데 말이다.

내 머리를 수차례 때리고 좌절하곤 했다.

청소년 시기가 되어서는 커터 칼로 나 스스로를 학대했다.

맞는 걸 두려워하면서 왜 나 자신을 학대하는 걸까?

나도 이해를 할 수가 없었다.

난 자해로 삶을 버렸다.

무더운 여름 자해 흉터를 가리고자 보건실로 갔다.

"제가 상처가 있어서 혹시 큰 밴드 좀 주실 수 있으신가요?"

보건 선생님은 나의 의도를 단번에 알아차렸다.

"어디 한번 봐봐."

"아 안 보이는 곳이에요."

"손목이니?"

나는 잽싸게 손목을 가렸다.

"괜찮아, 너 같은 아이들이 많아."

선생님은 익숙한 듯 내 손목에 약을 바르고 밴드를 붙여주셨다.

"이건 어쩔 수 없이 선생님과 부모님께 말씀드려야 돼."

심장이 파도처럼 철렁거렸다.

"선생님 제발요. 잘못했어요."

난 울면서 예전에 내가 아빠한테 빌었던 것처럼 선생님께 빌었다.

"왜 그랬니?"

"너무 힘들어서 그랬어요. 앞으로 안 그럴게요. 제발요... 네?"

"이건 잘못이 아니야. 근데 어쩔 수 없이 말해야 돼."

나의 애원은 통하지 않았다. 학교의 절차대로 가야 했다.

이윽고 담임선생님이 날 불러서 면담했다.

"그동안 많이 힘들었겠다."

"저... 안 혼내세요..."

"세은아 이건 혼낼 짓이 아니야. 스트레스 푸는 데 잘못된 방법이지."

뭐가 그리 서러웠던 걸까?

정말 서럽게 울었다. 미치도록 울었다.

앞이 보이지 않을 만큼.

내 잘못이 아니라는 말, 그 말이 너무 좋았다.

"근데 엄마한테만큼은 말씀 안 하시면 안 될까요?"

"그건 어쩔 수 없어.. 음... 그러면 기한을 줄게. 네가 마음의 준비가 되면 그때 말할게."

그렇게 나의 자해는 들통이 났고 2주 후

엄마 또한 이 소식을 듣게 되었다.

"미안해... 엄마가 맨날 돈 버는 거 밖에 몰라서 딸 못 챙겨줬어."

죄책감이 크게 들었다.

"미안해 엄마. 앞으로는 안 그럴게."

"스트레스 받으면 물건 막 던져. 그래도 돼. 괜찮아."

참 따뜻하고 날 포근하게 감싸는 문장,

내가 그 괴물에게 먹혀있었을 때 해줬다면 얼마나 좋았을까?

왜 그때 내가 너무 아팠을 때 그렇게 따뜻하게 날 품어주지 않았는지에 대한 생각이 들었다.

그 따뜻함이 참 고팠는데 말이다.

그때도 혼내지 않고 괜찮다고 딱 그 한마디만 했다면 참 행복했었을 텐데.

1. 그래, 나도 알아. 엄마는 최선을 다했다는 것을.

2. 엄마도 나처럼 많이 두렵고 무서웠다는것도 알아.

3. 머리로는 알지만 가슴으로 몰라줘서

미안.

제4장 첫 상담

자해를 들킨 후 담임선생님의 권유로 학교에 있는 '위클래스'에서 상담을 받았다.

나를 보고 환하게 웃는 그 미소에 나는 눈을 어디다 둬야 할지 몰랐다.

우리 사이에 긴 시간의 정적이 흘렀다.

난 이 정적이 참 싫었다.

무섭기도 하였다.

아빠와 있을 때 정적을 유지해서는 안 된다.

그 정적을 깨지 않으면 내가 깨진다.

산산조각이 난다.

아빠의 패턴을 잘 알기에 어떻게 정적을 깨야 하는지 알지만, 처음 본 상담선생님의 패턴을 알지 못했기에 이 정적을 어떻게 깨야 할지를 몰랐다.

선생님은 여전히 밝은 미소로 나를 바라보고 계셨다.

"세은아, 긴장 안 해도 돼. 이야기하고 싶지 않으면 이야기하지 않아도 돼."

참 먼 꿈의 이야기 같았다.

이것이 잠깐 꿈이라도 좋았다.

이 꿈의 길이 멀고도 험한대도 좋다.

나는 이것이 꿈이 아니길 바라며 선생님 몰래 내 허벅지를 세게 꼬집었다.

아팠다.

꿈이 아니었다.

내 눈에는 작은 이슬이 맺혔다.

참 아름다운 이슬이었다.

그 이슬은 길을 만들며 꽃을 피워냈다.

선생님은 내게 휴지를 건넸지만 난 그 이슬을 닦지 않았다.

아름다운 그 이슬을 남기고 싶었다.

나를 위해 만들어준 이슬, 함부로 닦고 싶지 않았다.

1. 정적을 깨지 않아도 괜찮아.

2. 긴장하지 않아도 괜찮아.

3. 아무 말 없이 그냥 가만히 있어도 괜찮아.

4. 난 이 모든 게 꿈만 같았고, 꿈이라면 영원히 잠들고 싶었어.

제5장 첫번째 용기

두 번째 상담 시간이 다가왔다. 우리는 여전히 정적의 시간을 가졌지만 괜찮다.

"세은아, 혹시 하고 싶은 이야기 있어?"

나는 용기를 내 나의 과거 이야기를 했다. 아빠와 어떻게 살았고, 어떻게 도망쳤는지 처음부터 다 설명했다. 나는 토해내듯이 이야기했다. 선생님은 나를 꼬옥 안아주었다.

"그동안 고생 많았어. 잘 버텨줘서 고마워."

나는 선생님 품에서 몇 분 동안이나 펑펑 울어댔다. 겨우 진정할 때쯤 선생님은 나를 천천히 놔주었다.

"세은아, 선생님 눈 똑바로 봐."

누군가의 눈을 똑바로 본다는 것은 참 어려웠다. 생각해 보면 나는 늘 눈을 아래로 뜨며 살았다. 위에를 보지 못했다. 위에는 얼마나 많은 것들이 나를 기다리는지 모르는 셈이다. 하지만 이번

상담을 통해, 선생님의 진실 된 눈을 통해 알게 되었다. 항상 아래만 본 채 살았던 나, 이젠 위를 보면서 살아도 되고 당연히 그래도 되는 사람이다. 나는 당당히 선생님 눈을 쳐다보았다.

"세은아, 세은이 잘못은 하나도 없어. 그렇게 말하고, 그렇게 행동한 아빠의 잘못인 거야."

"네..."

조용히 이슬 하나를 맺혔다.

"세은아 따라 해봐. 나는 아무 잘못이 없다."

".... 나는 아무 잘못이 없다."

나는 계속해서, 반복적으로 토해냈다.

"나는 아무 잘못이 없다."

이렇게 우리의 두 번째 상담은 끝이 났다.

1. 나는 아무 잘못이 없어.

2. 나를 그렇게 대하는 아빠가 잘못된 거야.

3. 선생님의 품, 이불처럼 따뜻했어.

4. 선생님이 만들어준 나의 이슬, 참 아름다웠어.

5. 잊지 않을게요. 선생님.

제6장 멋진 아이

3번째 상담이 왔을 때 나는 아빠가 나를 학대했을 때 정말 내가 잘못이 있어서 학대한 것인지 궁금해서 물어보았다.

"잘못을 했어도 손을 올리는 순간 그건 폭력이고 절대로 하면 안 되는 행동이야. 그리고 아빠가 딸에게 창녀가 된다는 말은 아빠가 정말 잘못한 거야."

그리고 선생님은 진지하게 내 눈을 조용히 바라보셨다.

"세은아 선생님 눈 똑바로 봐봐."

처음이었으면 보기 어려웠지만 지금은 아니다.

나 또한 조용히 선생님 눈을 바라보았다.

"저번에 뭐라고 이야기했지? 세은이 잘못한 거 없어. 세은이는 멋진 아이야."

"...왜요?"

"그런 어려운 환경 속에서 세은이는 훌륭하게 잘 자라고 있잖아. 잘 버텨냈고, 그래서 여기에서 선생님 만날 수 있는 거고. 선생님은 세은이를 만날 수 있었다는 것에 참 감사해."

선생님은 내가 죽지 않고 버틴 걸 잘했다고 칭찬해주신 것 같았지만 난 전혀 아니다. 몇 번의 자살시도를 했지만 겁이 많았기에 포기를 한 것 뿐.

난 이 이야기를 선생님한테 들려주었다.

"아니요. 저 자살시도도 많이 했어요. 아빠랑 살았을 땐 어떻게 죽을까 하고 자살 계획도 세웠고요. 하지만 안 한 이유는 버틴 게 아니라 겁이 많아서 못 한 거예요."

"세은아 선생님이었어도 세은이처럼 행동했을 거야. 선생님이었어도 그런 환경에 못 살 것 같거든. 버텼다는 것은 세은이가 버텼다는 것은 그런 어려운 환경 속에서도 이렇게 훌륭하게 잘 자라준 것. 그거야."

생각해 보면 얼마나 버텼던 걸까?

매일 휘둘리는 폭력에 마음이 너덜너덜해졌는데.

"아빠의 폭력 속에서, 그리고 그 폭력이 무서워 어쩔 수 없이 저를 혼내는 엄마에 마음이 참 너덜너덜 해졌었어요. 걸레짝처럼."

선생님은 또다시 한번 내 눈을 조용히 바라보시고 미소를 지으며 이야기했다.

"세은아 그동안 잘 버텨줘서 고마워."

따뜻한 이 공간,

정적이 흘러가기도 하지만 차갑지만은 않은 이 정적,

선생님과 나 단둘이,

그리고 내가 원하는 대로 할 수 있는 꿈같은 이곳,

난 이런 곳에서 마음껏 눈물을 흘렸다.

1. 고2 담임선생님에게도 너무 감사해. 늘 나의 상태를 체크해 주시고 날 따뜻하게 안아줬으니.

2. 세은아, 그동안 잘 버텨줬어.

3. 이제는 나아가자, 천천히.

제7장 입원

공황장애가 있던 나는 학업 스트레스로 공황장애가 심해졌다.

사람이 많은 공간에서 숨이 잘 쉬어지지 않았고,

특히 건설 현장을 보면 쓰러지곤 했다.

수면의 질 또한 많이 나빠졌다.

밤마다 그 괴물은 나를 끝없이 추격하고 괴롭혀왔다.

난 이 지긋지긋한 공황장애와 그 괴물에게서 벗어나고 싶었다.

나는 여느 때처럼 병원에 가서 이 이야기를 이야기했고 주치의는 입원치료를 해보는 것이 어떻냐고 제안하셨고, 나는 흔쾌히 괜찮다고 했다.

나는 그 괴물에게만 벗어나면 된다.

빨리 벗어나고 싶었다.

그리고 그렇게 나의 입원생활은 시작되었다.

1. 난 밤이 되면 또 그 괴물에게 괴롭힘을 당해.

2. 그 괴물과 맞서 싸우면 늘 내가 지지.

3. 난 늘 패배자였어.

4. 누가 나 좀 구해주길....

제8장 다시 시작

나는 정신병원에 입원해 있으면서 나와 같은 아픔을 가진 언니를 만났다.

언니 또한 나처럼 괴물에게 시달리고 주치의를 만나 그 괴물이 주입시킨 죄책감에서 벗어날 수 있었다고 한다.

난 두 번째 용기를 내었다.

나는 그동안 아빠에게 당했던 일들을 학교 상담 선생님에게 말한 것처럼 주치의 선생님께도 말씀드렸다.

선생님은 내 트라우마를 고치기엔 꽤 오랜 시간이 걸린다고 하셨다.

아빠의 폭력에 벗어났어도 나의 시간은 흘러가지 않았다.

10년 동안 멈춰져 있던 시간, 그 시간은 빠르게 돌려갈 수 없다.

하지만 용기를 냈고, 내 시간이 흐르게끔 만들 것이다.

나는 지금 아기 걸음마처럼 천천히, 아주 천천히 나아가려고 한다.

1. 시간이 느리게 흘러간대도 괜찮아. 나아가고 있는 것만으로도 충분해.

2. 나와 같은 아픔을 가진 사람이 나에게 용기를 준 것처럼 나 또한 나 같은 아픔을 가진 사람에게 용기를 주고 싶어.

3. 나, 용기 냈어. 참 잘한 일이야.

제9장 말할 용기

정신병원에서 나는 나의 전담 사회복지사님과 첫 상담을 하는 시간을 가졌었다.

"세은 님은 제일 하고 싶은 게 뭐예요?"

"...트라우마에서 벗어나는 거요."

나는 복지사님한테도 학교 상담 선생님과, 주치의한테 말한 것처럼 그동안 아빠한테 당해왔던 것들을 이야기했다.

"와 너무 화가 나네요... 그건 훈육이 아니에요! 아니 훈육이라고 할 수 없어요!"

아빠가 항상 '훈육'이라 칭하며 나에게 당연하듯 휘둘린 '폭력', 그것을 부정하는 말인 것 같았다.

"그리고 폭력은요, 절대로 하면 안 되는 것이에요."

선생님은 단호하게 말했다.

"세은 님, 그동안 잘 버텨줘서 고마워요."

이 말 학교 상담 선생님도 내게 했던 말이었다.

나 정말 잘 버텼나 보다.

눈물이 났다.

난 이 말 한마디를 들으려고 지금까지 이 악물고 살아왔나 보다.

'죽는 게 아플 것 같아서'가 아니라.

1. 세은아, 잘 버텨줘서 고마워.

2. 넌 잘못한 게 없어.

3. 넌 빛나는 사람이야.

제10장 뜯어 고치기

학교 상담 선생님, 주치의, 그리고 복지사님은 다 내 잘못이 아니라고 하지만 그동안 당했던 가스라이팅이 아직 내 머리를 지배하고 있는 것 같다.

"정말 다 제 잘못이 아니긴 한 걸까요?"

나는 아직 여전히 죄책감을 앉고 살아갔다.

고통스럽게 말이다.

복지사 선생님은 나에게 종이와 펜을 내밀었다.

"세은 님이 잘못한 거 써봐요. 그리고 한번 이야기해 봅시다. "

나는 그 종이 위에 글을 적어내려갔다.

적으니 갑자기 '선생님이 정말 내 잘못이 맞는다고 하면 어떡하지?'라는 생각에 쓰다가 말았다.

"그다음은 기억이 안 나서요."

선생님은 종이 위에 적힌 내용들을 읽고 내 안에 단단하게 묶여있던 쇠사슬을 풀어주었다.

"울면 안 되는 것, 왜 안되죠? 아직 어린아이이고 엄마를 그리워할 나이에요. 그러니까 울어도 돼요. 뭐 여기에 적힌 내용들 사실 다 그래도 되는 것들이고, 인간은 다 실수를 해요. 라면 안 치우는 거? 뭐 그럴 수도 있죠. 근데 폭력은요, 절대로 해서는 안되는 것이에요. 어떤 이유로든.

내 잘못이 아니라는 것에 난 안심이 되어 숨죽여 울었다.

"세은 님, 펑펑 울어도 돼요. 뭐라고 할 사람 없어요. 소리 내서도 울어보고, 크게 울어보고 다 해도 괜찮은 공간이에요."

"정말 그래도 돼요?"

"그럼요. 그동안 참았던 거 다 토해내도 돼요."

난 정말 울분을 토하듯 울었고, 복지사 선생님은 그것을 기다려주었다.

그동안 내 편은 없을 거라고 생각했다.

아니 없었다.

난 항상 죄인이었고,

죄인이기에 난 맞아야 했지만

10여 년이 지난 난 무죄로 인정받은 셈이다.

1. 펑펑 울어도 돼, 세은아

2. 이젠 더 이상 참지 않아도 돼.

3. 넌 잘못한 게 없으니까 더 이상 죄책감 갖지 마

제11장 난 빛나는 아동학대 피해자입니다.

병원에서 아침마다 시를 읽고 자신의 생각을 이야기하는 시간을 갖는다.

그 시의 내용은 '자신이 갖고 있는 아픔을 내려놓을 줄 아는 것'에 대한 내용이었다. 아픔이 공존하는 이 자리에서 많은 사람들이 발표를 했고,

마지막으로 난 용기를 내 발표를 했다.

"저는 거의 10년 동안 아동학대를 당했습니다. 훈육이라 칭하며 저에게 당연하듯이 휘둘렸던 폭력에 제 몸과 마음은 정말 많이 상했죠. 유통기한이 지난 우유처럼요. 하지만 학교에서, 그리고 여기를 와서 알게 되었습니다. 제 잘못이 없고, 폭력은 절대로 하면 안 된다는 것을요. 그리고 저는 정말 잘 버텼고, 앞으로도 잘 버틸 거라는걸요."

"저는 아동학대에서 잘 버티고 살아남은 빛나는 아동학대 피해자입니다."

1. 저는 잘못이 없습니다.

2. 잘 버텨냈습니다.

3. 앞으로 새 인생으로 멋지게 살 것입니다.

4. 나는 아동학대에서 잘 버티고 살아남은 빛나는 아동학대 피해자 입니다.

제12장 글을 쓰는데 걸린시간(1)

병원에서 마땅히 할 것이 없어 나는 주로 글을 쓰곤 했다.

하지만 내 트라우마를 치료하기 위해서는 내 트라우마를 마주쳐야 하고 나의 과거에 대한 글을 써야 했다.

쉬울거라 생각했지만 너무나 어려운 일이였다.

두려워서 굳게 잠군 상자를 다시 꺼내야 한다는 것은 끔찍한 고통이였다.

나는 고작 4줄을 쓰고 이런 내 자신이 너무 한심해 죽고 싶다는 생각이 들었다.

이렇게 아프고 힘든 순간에는 늘 내곁에 나타나주는 한 사람이 있었다. 나의 키다리

아저씨, 나의 복지사 선생님.

선생님은 내 상태를 보시고 한바퀴만 걷자고 하셨다.

나는 울면서 걸었다.

내가 엉엉 우는 이 순간에도 선생님은 내 마음이 진정될 수 있도록 기다려 주셨다.

우리는 창문 근처로 와서 창문을 보았다.

바람이 매섭게 불어댔다.

"바람이 매섭게 불어대던 날 아빠는 절 내쫓았어요. 근데 고작 이거 못 쓴다고 죽겠다고 난리 치고 있는 거에요 저. 참 한심하죠."

"자기 자신을 마주보는데 그렇게 빠른 시간이 걸리면 지금 여기있는 환우분들 다 퇴원하셔도 돼요."

선생님은 진지하게 나를 바라보셨다.

"세은님, 괜찮아요. 우리 좀 느리게 갑시다. 느리게 가도 괜찮아요. 자기 자신을 기다려줍시다."

"그게 몇십년 걸리면요?"

"괜찮아요. 그동안 너무 자기 자신에게 엄격했잖아요. 이제는 좀 풀어줘요. 자기 자신을 사랑해줘요. 그리고 세은님

스스로를 믿어요. 그게 트라우마를 벗어나는 방법이에요."

아빠랑 살면서 늘 자칭 죄인으로 살았던 나, 어쩌면 이제는 자유롭게 살아도 괜찮지 않을까? 시간이 걸리면 뭐 어때? 난 언젠가 괜찮아질거고, 지금까지 잘 버티고 있으니까.

나는 다시 병동에 들어가서 한 줄 더 썼다.

나는 참 잘 버텼다.

1. 난 내 자신을 믿을래

2. 괜찮아, 나니까 할 수 있어.

3. 잘 버텨냈으니까 할 수 있어.

4. 늘 내 곁에 있어준 나의 키다리 아저씨 고마워요.

5. 선생님 말대로 나 천천히 갈게요.

글을 쓰는데 걸린시간(2)

20살 때 겨우 4줄 쓰고, 힘들다고 울었던 나, 1년이 지나고 다시 그 어두운 상자를 꺼냈다.

꽝꽝 묶어놓았던 그 상자는 이제 힘을 안주고도 풀 수 있었다.

나는 그 상자를 열고 컴퓨터에 앉아서 눈을 감았다. 그리고 중얼거렸다.

난 할 수 있다.

키보드 위에 손을 올리고 제일 먼저 쓰고 싶었던 문장을 쓰기 시작했다.

'나는 빛나는 아동학대 피해자 입니다.'

그리고 천천히 아주 천천히, 내 잘못이 아니라는 걸 인지시키면서 글을 써내려 갔고, 지금 이렇게 글을 완성 시켰다.

1. 나 결국 해냈어.

2. 난 멋진 아이야.

3. 난 할 수 있다.

혼자서 싸우기

아빠의 양육비 없이 생활했던 우리 모녀, 그리고 몇십년이 지나도 잊혀지지 않는 나의 트라우마, 엄마를 위해, 나를 위해 아빠의 아동학대 사건 신고 및 양육비를 받아내기로 했다.

하지만 나 혼자 준비하는 건 쉽지 않았다.

나는 평소에 플렛폼에서 즐겨보던 변호사에게 전화를 했다.

변호사와 약속 잡아서 통화하는 시간이 상당이 오래 걸리고, 15분에 2만원이였다.

그럼에도 내 앞으로의 미래를 위해 난 그 2만원을 투자했다.

3~4시간을 기다리고 겨우 겨우 통화를 할 수 있었다.

나는 변호사에게 그동안 내가 아빠에게 어떻게 당해왔는지 말씀드리고 이혼 종이에 써져있는 '양육비는 모가 지급'에 대해서도 언급했다.

사실 모든게 안될까봐 두렵기도 했다.

하지만 신은 날 도운 것 같다.

성인이 되고 7년이 지나지 않으면 신고 할 수 있고, 양육비에 대해서는 그때 한국어도 잘 모르고 재판의 상황이 어떻게 돌아가는지 몰랐던 엄마였기에 이것을 강하게 주장하면 양육비를 받을 수 있을거라 했다.

나는 희망을 품고 일단 가정법원에 가서 '양육비 청구 서류'를 받아왔다.

그리고 저녁에 엄마에게 이 사실을

알렸지만 엄마는 그러지 말자고 했다.

"세은아, 그거 되게 힘든거야. 너 엄청 스트레스 받을거야."

"알아. 근데 난 복수가 너무 하고 싶어 엄마."

부모는 자식을 못 이긴다는 말이 있듯이 엄마 또한 결국에 나한테 져주었다.

그 다음날 난 약 받으러 병원에 갔다.

주치의 선생님은 평소처럼 나를 웃으면서 반기셨고 나는 내가 하고 있는 것에 대해 이야기 했다.

나를 응원해줄 것 같은 주치의 선생님이 처음으로 나에게 정색하고 하지 말라고 하셨다.

난 선생님의 이런 단호한 모습을 처음으로 봐서 놀랐다.

난 그 당시 내가 되게 용기있는 일을 한것이라고 생각하고 많은 응원들을 받을 줄 알았다.

"세은님, 그 소송 1년 넘게 걸려요. 그 과정에서 세은님이 엄청 스트레스 받을 수 있다고요."

"근데 복수를 안하면 평생 괴롭게 살 것 같아요."

"아니요. 이 과정이 더 고통스러울거에요,."

하지만 나는 내가 준비한 복수를 버리기 싫었다. 나는 끝까지 고집 부리고 병원 문 밖을 나갔다.

저녁에 경찰서에 가서 아동학대 소송에 대한 이야기를 했다. 하지만 증거가 없었다.

"언제, 어떻게, 아니면 어떤 계절에 어떻게 당했는지 쓰셔야 되세요."

아, 지금도 고통스러운데 그 기억을 꺼내야 하다니, 참 잔인한 것 같았다.

나는 당했던 기억들을 떠올리며 공책에 적었고 다음날 경찰서에 가서 그 공책을 제출했다.

이 만큼 고생했으니 다 잘 돌아갈 것이고, 나의 복수 또한 잘 될것이라고 생각했다.

지금 다시 생각해보면 난 역시 아직 너무 어렸다.

1. 억지로 기억을 꺼내는 것은 참 힘들었어.

2. 그래도도 난 엄마를 위해 할 거야.

3. 과거의 나를 위해 꼭 이 복수를 성공시킬거야.

Change

나는 매주 일요일 마다 엄마랑 등산하면서 시시콜콜한 이야기를 주고 받았다.

비록 등산은 힘들지만 엄마와 많은 대화를 할 수 있어서 좋았다.

우리는 등산 하면서 복잡한 생각과 마음을 이 곳에서 떨친다.

쉬는 중에 엄마는 나에게 아빠에 대한 소송과 양육비 청구에 대해 말했다.

"세은아 아빠한테 소송하는거 오래 걸려. 선생님 말대로 세은이 엄청 스트레스 받을거고, 그러면 엄마는 너무 속상할 것 같아. 그리고 엄마 아빠 보기 무서워"

아, 엄마 또한 나처럼 아빠에 대한 트라우마가 있다는 것을 내가 왜 생각하지 못했을까.

"응, 알았어. 소송하는건 취소할게. 대신 양육비 청구는 꼭 하고 싶어."

"그러면 엄마 아빠 전화번호 있으니까 아빠한테 전화해서 달라고 하고 만약 안주면 그때 청구하자."

"엄마도 아빠 무섭잖아."

"괜찮아. 엄마도 양육비가 필요해."

그리고 우리는 아빠에게 전화를 걸었다.

하지만 아빠는 받지 않았다.

우리는 또 올라가면서 양육비 청구를 어떻게 할 것인가에 대해 의논을 했다.

등산 끝나고 엄마가 화장실 간 사이, 아빠에게 전화가 왔다.

심장이 두근거렸고 무서웠다.

"여보세요"

"세은이야?"

아빠의 전화를 받았는데 아빠는 목소리가 거의 안 나올 정도로 물어봤다.

나는 그래도 할 말은 해야겠다고 생각해서 양육비를 달라고 요청했다.

하지만 뜻밖의 말에 우리는 곧장 아빠가 있는 곳으로 달려갔다.

"아빠 폐암 걸려서 원주 기독병원에 있어."

아빠를 정말 싫어했다. 하지만 그 말을 들으니 한편으로 걱정이 되었다.

잘된건지 잘 모르겠다.

머리속에는 이상한 감정들이 섞여 있었다.

아빠를 볼려면 48시간전에 코로나 검사를 하거나 아빠가 직접 나와야 한다고 했다.

우리는 아빠에게 여러 번 전화했지만 아빠는 전화를 받지 않았다.

30분 정도 기다리고 아빠가 전화를 받았다.

엄마는 우리가 지금 병원 복도에 있다고 말했고 아빠가 휠체어를 타고 어떤 아줌마와 함께 등장했다.

엄마는 아빠가 목과 코에 뭔가를 두르는 것 보고 엄청 우셨다.

엄마는 어떤 감정으로 운거였을까?

나 또한 알 수 없는 이유로 눈물이 날려고 했지만 어떻게든 참았다.

"잘 살아야지, 왜 이런 모습하고 있어요?"

나는 약간의 화를 섞어서 물어봤다.

그리고 나는 그동안 하고 싶은 말들을 아빠 앞에 토해냈다.

"왜 나랑 엄마를 그렇게 때렸어요?"

참았던 눈물이 결국 터지고 말았다.

"집에 들어오면 반기는 사람이 없으니까 서운했어. 서운했다면 미안해."

아빠 입에서 처음으로 '미안해' 라는 말이

나왔다.

자존심이 쎈 아빠가 사과를 하는 모습은 처음봤다.

아빠는 내 얼굴을 어루어 만지셨다.

그리고 엄마의 손을 꽉 잡았다.

마치 절대로 놓치고 싶지 않은 것 처럼.

아빠는 쉰 목소리로 우리랑 대화했다.

"내가 어떻게든 200만원 모아서 줄게. 그리고 인천에 갈게."

'어떻게든' 이라는 단어를 듣고 나는 살짝 의아했다.

아빠는 돈이 많은 사람인데 '어떻게든' 이라는 단어를 쓴게 뭔가 이상했다.

나는 아빠 옆에 있는 아주머니에게 물어봤다.

"아빠 병원비 낼 돈은 있어요?"

나의 질문에 아주머니는 대답을 해줬는데 참 충격적이였다.

"지금 기초생활수급자라서 나라에서 지원받은대로 병원비 내긴 하는데 더 내야돼. 그리고 월세로 살고 있어."

그렇게 돈이 많던 사람이, 돈으로 우리를

얕보았던 사람이, 돈에 대해서는 깐깐한 사람이 돈이 없고 기초생활수급자로 있다는 것에 큰 충격이었다.

뭔가 입장이 바뀌게 된 것 같았다.

"세은이 과외 선생님이에요."

엄마는 울면서 나를 아빠한테 자랑했다.

아빠는 나에게 "오" 라고 감탄사를 내지었다.

아빠는 내가 공부를 잘하면, 잘하면 뭐하냐고 뭐라 하고 나를 칭찬해본적이 단 한번도 없었다.

그런데 처음으로 뭐라 하지 않고 나에게 감탄사를 한것에 나는 더 많은 눈물을 흘렸다.

나는 마지막으로 한번 더 질문을 했다.

"아빠, 나 사랑하긴 했어요?"

아빠는 당연하다는 듯이 말했다.

"응, 사랑해"

그리고 아빠의 컨디션을 위해 대화는 이쯤에서 마무리 하고, 나는 아빠가 타고 있는 휠체어를 밀면서 말했다.

"아빠, 그래도 나 사랑해줘서 고마워요."

그리고 우리는 헤어졌다.

1. 아빠의 사과는 먹는 사과보다 더 달콤했어.

2. 자존심을 내리고 나를 바라봐줘서 고마워 아빠.

3. 나 사회복지사가 되서 아빠 앞에 나타날 테니까 조금만 더 버터줘요.

사람을 곁에 두는 법

남자친구와 아침 데이트 하고 있던 도중에 저번에 만났던 아주머니가 나에게 문자를 보냈다.

그 문자를 본 순간 나는 휴대폰을 떨구고 아무말도 할 수 없었다.

그 문자는 아빠가 돌아갔다는 문자였다.

오전 6시 15분에 아빠는 하늘의 별이 되었다.

아빠의 마지막 모습을 보지 못해서 죄책감이 들었다.

아주머니께서는 월요일에 장례를 치른다고 하셨다.

그리고 월요일, 엄마와 나는 일찍 일어나서 원주로 갔다.

장례식장에 도착하자 마자 큰아버지는 나에게 이런 말을 했다.

"맨날 구박만 받았는데 착하게도 장례식장에 왔네."

큰 아버지는 나와 엄마를 많이 예뻐하셨다.

그래서 가끔은 큰 아버지가 나의 아빠였으면 좋겠다는 생각을 했다.

거기에는 나의 이복언니인 첫째언니가 있었고, 둘째 언니, 셋째언니는 안왔다.

우리는 시신내동보관함에 가서 아빠의 시신을 보았다.

아빠는 몹시 차갑게 누워 있었다.

아직도 실감이 나지 않았다.

나는 계속 아빠의 얼굴을 어루어 만졌다.

인천에서 나랑 사이좋게 밥 한번 같이 먹어주지.

내가 사회복지사가 된 것만 보고 가지.

뭐가 급하다고 그리 일찍 가신걸까?

그리고 장례식장으로 다시 돌아와 아빠의 영정 사진을 보았다.

사진 속에 있는 아빠는 해맑게 웃고 있었다.

"막내야 언니가 할 말이 있어. 잠깐 이야기하자."

그리고 언니는 어떤 종이와 함께 두꺼운 봉투를 나에게 건냈다.

"아버지가 마직막으로 우리한테 주는 돈이야. 세은이가 막내다보니 세은이한테 돈을 많이 줬어. 우리는 앞으로 만날 일이 없겠지만 만약 보험금이나 재산 때문에 만날 수 있어. 그때는 4등분씩 나눌거야. 혹시 모르니까 언니 번호 저장해둬."

종이에는 내 이름이 제일 먼저 써져 있었다.

그리고 큰 아버지, 3명의 언니들은 이름이 아니라 '첫째'. '둘째', '셋째' 이렇게만 적혀있었다.

그냥 편하게 죽지.

돈에 대해 예민하고 짠돌이인 사람이 죽기 직전 그렇게 큰 금액을 우리에게 주다니 참.

엄마와 나는 아주머니 옆에 앉아 아빠에 대한 이야기 했다.

아주머니 역시 아빠에게 폭력에 시달리고

있었다고 한다.

날이 갈수록 난폭해지던 사람이 어느 날 꽃을 보고 "예쁘다." 라고 얘기 했다고 한다.

참 감성적이네.

내 이성적인 성격은 아빠랑 닮아서 그런거라고 생각했는데.

"세은이 이야기가 나오면 입이 귀에 걸릴 정도로 찢어지게 웃으면서 얘기하더라구요. 세은이 엄청 똑똑하다. 맨날 이렇게 자랑해요"

내가 공부를 잘하면 '공부 잘 하면 뭐하냐' 라며 타박을 주고 내가 잘한 일은 단 한번도 칭찬하지 않았는데 뒤에서 그렇게 내 이야기를 했다는 것에 나는 어쩌면 아빠가 사랑을 주는 방법을 몰라서 날 때린게 아닐까 라는 생각이 들었다.

엄마는 아주머니한테 아빠 때문에 생긴 내 병에 대해 말씀하셨다.

옆에서 듣고 있던 언니는 내 얼굴 붙잡으며 이야기 했다.

"언니도 어렸을 때 아빠한테 엄청 맞았어. 맨날 둘째랑 비교하고 또 그때는 젊을 때니까 힘이 얼마나 쎄겠어. 오죽하면 내가 초3때 가출을 했다니까."

언니가 집에 올때마다 아빠는 많은 돈을 주고 심지어 아파트도 사줬다. 그래서 아빠는 언니들만 예뻐하고 사랑한다고 생각했는데 그게 아니였다. 언니 또한 나와 같은 아픔을 겪고 있었던거다.

"아빠는 사랑을 줄 주 몰라. 어렸을 때 엄마한테 버림받았지, 아빠한테 맨날 맞고 살았지, 이런 양반이 어떻게 사랑을 주는 방법을 알겠어. 아빠는 버림받는 것이 무서워서 폭력으로, 돈으로 어떻게든 자신의 사람들을 계속 곁에 두고 싶어 하셨던거야."

폭력은 폭력을 낳는다.

아빠 또한 버림받는게 무서워, 어떻게든 맨날 여자들을 품고 다닌 것이다.

내가 만약에 이 사실을 조금 더 빨리 알았다면 아빠에게 '나는 아빠 절대 안 버릴 테니 두려워 하지마' 라고 얘기 할 수 있을텐데.

다시 되돌아 가기엔 너무 늦었다.

나는 엄마한테 물었다.

"엄마, 엄마는 아빠 사랑해?"

"사랑했어. 가끔 미울 때도 있는데 사랑했어."

나는 아빠를 사랑한 적이 있었었나?]

"너 아빠, 그래도 좋은 사람이야. 너 어렸을 때 아빠랑 베트남에 갔었는데, 나물을 다 팔지 못하고 있는 할머니한테 다가가서 나물 다 사갔어. 근데 어린시절의 트라우마 때문에 그런식으로 할 줄 밖에 모른거지."

아주머니도 내게 말씀하셨다.

"종이에 딸들 이름 쓸 때 유일하게 세은이만 기억하더라. 그리고 마지막으로 보고 싶은 사람 있냐고 물어보니까 '세은이' 라고 얘기했어. 아빠는 세은이를 많이 사랑했어. 근데 방법이 서툰 것 뿐이야."

아니 아빠는 우리 딸들 전부 다 사랑했을것이다.

하지만 사랑을 주는 방법을 모르는 것 뿐.

조문객은 오지 않았다. 언니의 친구나, 아주머니의 친구만 왔을 뿐이다.

아빠는 알고 지낸 사람이 정말 많았다.

하지만 그분들은 안왔다.

돈으로 맺어진 관계인데 올 일이 있을까.

다른사람들도 아빠를 싫어한 거 안다.

나 또한 우리엄마를 고생시킨 아빠를 미워했으니까.

근데 딸인 내가 아니면 아빠를 사랑해 줄 사람은 없으니까 이제는 '미움'이 아닌 '사랑'을 할 것이다.

"아빠 사랑했어요. 이제서야 얘기해서 미안해요."

그리고 예전에 내가 늘 듣기 싫었던 말을 내 입으로 내뱉어 말했다.

"날 낳아줘서 고마워요. 아빠"

난 이 말을 남기고 엄마와 나는 유유히 장례식장을 빠져나왔다.

나는 빛나는 아동학대 피해자 입니다.

발　행 | 2023년 11월 27일
저　자 | 천세은
펴낸이 | 한건희
펴낸곳 | 주식회사 부크크
출판사등록 | 2014.07.15.(제2014-16호)
주　소 | 서울특별시 금천구 가산디지털1로 119 SK트윈타워 A동 305호
전　화 | 1670-8316
이메일 | info@bookk.co.kr

ISBN | 979-11-410-5512-7

www.bookk.co.kr